新经典文化有限公司
www.readinglife.com
出　品

快点睡觉吧

〔日〕秋山匡 著　小然 译

新星出版社 NEW STAR PRESS

今天晚上怎么都睡不着，

幸太郎开始数跨栅栏的猪。

1只猪、
2只猪、
3只猪……

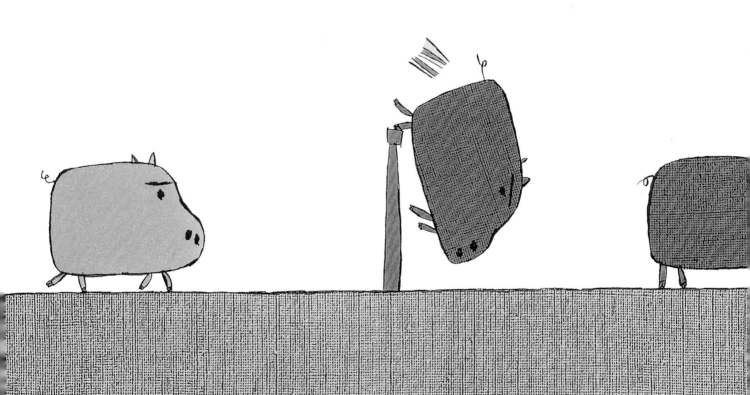

56只猪、

57只猪、

58只猪……

288只猪、

289只猪、

290只猪……

终于，栅栏里挤满了猪。

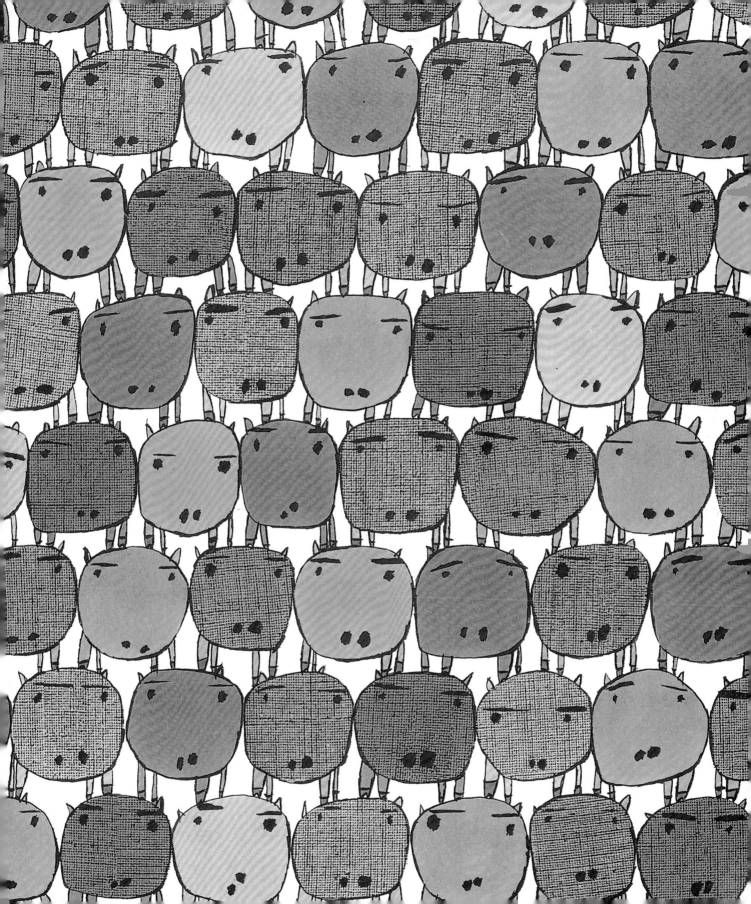

哼噜——哼噜——哼噜——

猪开始发牢骚，
太吵了，太吵了！幸太郎睡不着。

这回，开始数跨栅栏的妈妈。

1个妈妈、

2个妈妈……

99个妈妈、
100个妈妈、
101个妈妈……

终于，栅栏里挤满了妈妈。

啦啦啦——啦啦啦——

妈妈们唱起了欢快的大合唱，
幸太郎还是睡不着。

这回，
换成数跨栅栏的怪兽了。

1头怪兽、
2头怪兽……

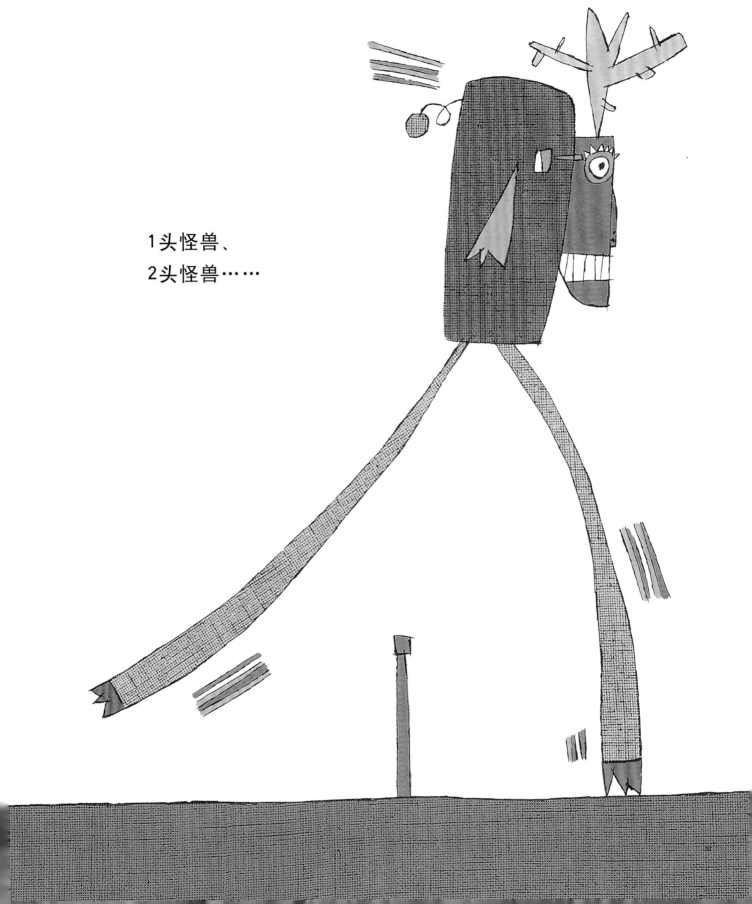

73头怪兽、
74头怪兽、
75头怪兽……

终于，栅栏里挤满了怪兽。

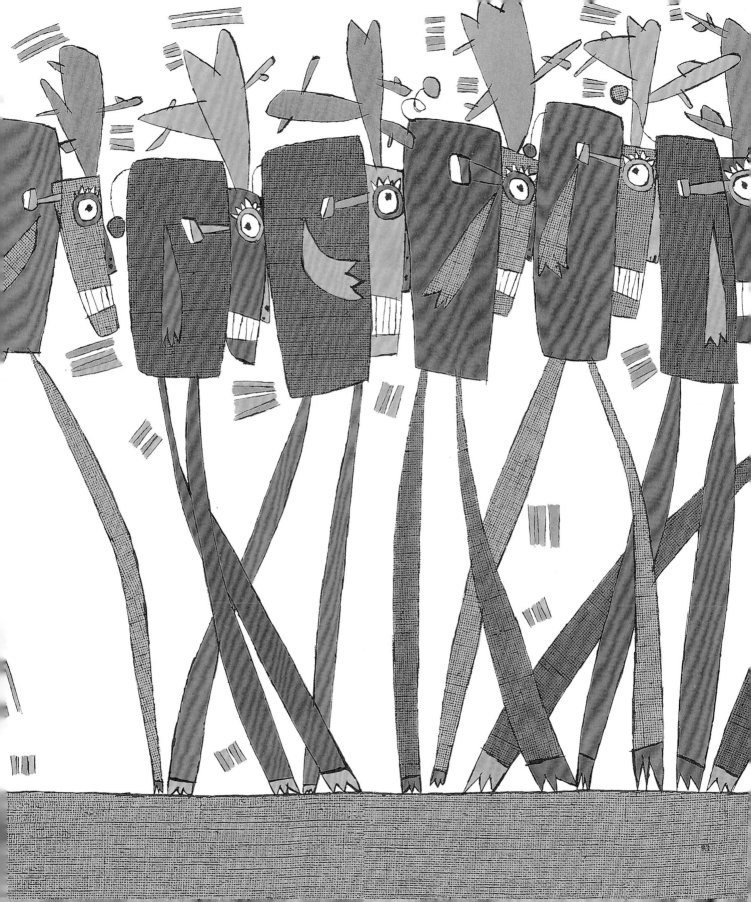

嗷呜——嗷呜——嗷呜——

怪兽们一齐在嚎叫，
幸太郎哪还能睡得着！

猪在发牢骚，
妈妈在唱歌，
怪兽在嚎叫。

太吵了，太吵了！
幸太郎忍不住大叫：

哎哟，好累呀……　呼呼……　呼……

著作权合同登记图字：01-2014-0593

HAYAKU NETEYO
Copyright © 1994 by Tadashi AKIYAMA
First published in Japan in 1994 by IWASAKI Publishing Co., Ltd.
Simplified Chinese translation rights arranged with IWASAKI Publishing Co., Ltd.
through Japan Foreign-Rights Centre/ Bardon-Chinese media Agency
All rights reserved.

图书在版编目（CIP）数据

快点睡觉吧 / （日）秋山匡著；小然译 . -北京：
新星出版社，2014.4
ISBN 978-7-5133-1407-7

Ⅰ.①快… Ⅱ.①秋…②小… Ⅲ.①儿童文学－图
画故事－日本－现代 Ⅳ.① I313.85

中国版本图书馆 CIP 数据核字（2014）第 008905 号

快点睡觉吧

（日）秋山匡 著
小然 译

责任编辑 汪 欣
特邀编辑 安 宁
责任印制 廖 龙
内文制作 田晓波

出   版 新星出版社 www.newstarpress.com
出 版 人 谢 刚
社   址 北京市西城区车公庄大街丙 3 号楼   邮编 100044
          电话 (010)88310888   传真 (010)65270449
发   行 新经典文化有限公司
          电话 (010)68423599   邮箱 editor@readinglife.com

印   刷 北京华联印刷有限公司
开   本 889mm×1194mm 1/16
印   张 2
字   数 3千字
版   次 2014年4月第1版
印   次 2014年4月第1次印刷
书   号 ISBN 978-7-5133-1407-7
定   价 29.80元